中国素质体育机器人竞赛规则

（试 行）

2011年7月

国家体育总局社会体育指导中心　审定

《中国素质体育机器人竞赛规则》编写组　编

人民体育出版社

序　言

　　素质体育–机器人竞赛是一个伟大的创举，同时也是一种对传统体育竞赛项目的深入拓展和有机补充。而将这个赛事加以规范整理，并纳入到社会体育领域，则表明了机器人竞赛已经从一种提升素质的游戏升华到了一个素质体育的崭新平台。

　　从历史角度来看，竞赛活动是游戏的一种最高表现形式。游戏是人们生产活动的反映、对日常生活的写照和对未来的憧憬，并伴随着社会的进步而不断演变、进化。例如，田径和游泳运动反映了人类原始社会的基本技能，足球与篮球是对人类战争状态的描述；科技进步不断创新体育赛事，射箭表现了封建时代的武器技能，射击反映了工业化的成果，而风靡现代的野战运动则是激光科技在体育领域的应用。有了汽车就有了赛车运动，有了飞机才有跳伞运动，有了互联网才会有网络游戏，并进而升华到电子竞技的高度。

那么，当世界上有了机器人呢？

从 2000 年起，风靡中国的机器人游戏以及与之相伴而来的机器人竞赛，代表了人类在科技领域不断创新的取向。作为人类智能工具的机器人，其赛事较传统体育更具有创造性、公益性和贡献性。它不仅仅反映了人类在科技领域的现状，更表明了人类发展的需求的轨迹——从体力需求逐步演变为智力、技能与创造性的需求。

体育运动发展的历史证明，规则是一切竞技运动发展的基本保证。围棋和象棋历经千年保持稳定发展的秘诀，其实就是制定了正式的规则。而古代体育中的蹴鞠、投壶等运动，则因为没有规则和比赛过程的随意性，到今天只是小说和文献中的名词。

从这个意义上说，素质体育-机器人竞赛的规范工作，一开始就以理论建设为基础，以竞赛规则的出版、发行、培训为切入点是十分睿智的。《中国素质体育机器人竞赛规则》（试行）的出版对于这个项目的发展具有保障作用。尽管其中难免有尚待修订之处，然而其在规范机器人竞赛活动中的作用和意义，对于鼓励人们不断探索未来科技的发展取向，对培养青少年创新思维、科技思维和提高动手动脑能力，提高青少年的综合素质，从而提高我国科技兴国的基础，确有不可低估的作用。

国家体育总局社会体育指导中心　邢小泉

前　言

素质体育指以机器人科学技术等培养人的身体素质、文化素质、心理素质、道德素质等综合素质为目的的体育。素质体育受到教育界、体育界以及各青少年团体的重视。随着机器人科技的日新月异，对人才的要求也日趋全面化、创新化，要求我们用素质教育的思想对人的素质体育进行理性的思考和大胆的探索。

机器人指能自动执行任务的机器装置，既可以接受人的直接指挥，又可以运行预先编排的程序，还可以根据人的纲领性意志行动，无疑在工业、农业、建筑、医学甚至军事等领域能发挥重要作用。而机器人竞赛，是以体育竞技形式进行的高技术的比赛，展示了较高端信息技术中的感测技术、传感技术、控制技术和使用技术，可谓集多领域之前沿技术的竞技。

目前，素质体育主要由机器人竞赛来体现。把机器人创意和机器人竞赛列为素质体育的重要内容，旨在以此为手段，为创新素质教育提供良好的平台和发展的空间。实践证明，机器人创意和机器人竞赛是一种融合多学科的体育活动，具有实践性强、探索性强和综合性强等特点，有利于青少年和儿童的设计能力、动手能力、创新能力和跨专业学习能力的培养。

因此，近几十年来，世界各国特别是发达国家开展机器人竞赛活动方兴未艾，广大青少年参与此项活动的热情也日益高涨。而且，近年来，此项活动正越来越有向成年人群渗透的趋势，一些发达国家已经开始创办成年人机器人竞赛。

在我国，机器人竞赛活动也有了十多年的历史。科协、电教、文化等部门一些富有远见的单位，出于其职业敏感性和社会责任心，曾先后举办了形形色色的面向广大青少年的机器人竞赛，为逐步推进这项综合素质竞技作出不懈努力，也为我国的素质体育和素质教育发展吹进了一股股新鲜空气。

北京神通文化俱乐部有限公司是积极倡导与推进将素质体育机器人比赛纳入体育赛事的单位。他们集多年和数十次全国性大赛的经验，创造性地提出将该赛事纳入国家正式体育比赛的建议，并组建了专业团队，积极挖掘机器人竞技的科技教育和陶冶情操作用，突出素质教育和全民健身的内涵，为该项目的正规化、制度化、标准化作出了积极贡献。

《中国素质体育机器人竞赛规则》试行本，就是在北京神通文化俱乐部有限公司集多年竞赛经验所提供的规则底本的基础上编写的，同时也适当借鉴了世界性机器人奥林匹克竞赛规则中的有关条款，经国家体育总局社会体育指导中心组织相关专家审定后试行。规则的出台和正规赛制的推出，不仅丰富了全民健身的内容，更使得机器人比赛从游戏升华至体育竞技的殿堂，并逐步扩大至全社会都来参与的竞技体育运动。

受经验和水平的限制，试行本中难免缺欠。希望读者多提宝贵意见，以利再版修订。

《中国素质体育机器人竞赛规则》编写组
2011 年 7 月

目　录

第一章 竞赛分类与参赛队

第一条 竞赛分类

中国素质体育机器人竞赛以下简称"竞赛"。
竞赛分两类：
1. 常规赛；
2. 创意赛。

第二条 参赛队

一、组建参赛队

竞赛分为个人赛和团体赛。参赛者根据参赛要求以个人或团队的形式参与各类别比赛。团体赛中，一支参赛队由一名教练和二或三名选手组成。

一名教练和一名选手不能组成参赛队参加团体比赛。

二、参赛选手

常规赛和创意赛按年龄各分为四个组别，即少儿组、少年组、青少组和成年组。

少儿组：7 周岁至 12 周岁；

少年组：13 周岁至 15 周岁；

青少组：16 周岁至 18 周岁；

成年组：19 周岁以上。

必须通过"全国素质体育机器人竞赛"运动员的各级认证，方可参加相应的年龄组别的比赛。各组资格认证级别如下：

少儿组：1 级至 3 级；

少年组：3 级至 5 级；

青少组：5 级至 7 级；

成年组：7 级至 9 级。

三、教练员

教练员的最小年龄为 20 周岁。教练员必须通过"全国素质体育机器人竞赛"各级别教练员培训和教练员资格认证。

在比赛之前，教练员可以向队员提出建议和进行指导。但在比赛过程中，所有操作必须由参赛选手独立完成，教练员不得进行现场指导。

第二章　定　义

第三条　机器人定义

竞赛所指机器人，是由参赛选手自行组装、编程的，按竞赛要求可以完成特定任务的装置。

第四条　术语定义

一、起点

机器人按照比赛规则规定的出发的指定区域。

二、终点

机器人按比赛规则规定的到达的指定区域。

三、检录区

参赛选手等待上场比赛的指定区域。

四、完成比赛

参赛选手确认机器人已完成比赛规则规定的任务后，可向裁判员举手并明示完成比赛；或比赛时间到，由裁判员终止比赛。

五、终止比赛

参赛选手认为机器人因特殊原因无法正常比赛，可向裁判员举手示意并请求终止比赛；或机器人上场后在某一区域停留超过 10 秒钟，裁判员可要求终止比赛。

六、马达

指可以输出动力的组件，是机器人的动力输出装置，是负责驱动机器人的传动系统和机械手臂。

七、传感器

指可以收集外部信息的组件，是将外部环境的变化传导给机器人的装置，是机器人的感觉器官。

八、控制器

指机器人的大脑，可以按参赛选手的要求，依据传感器收集的信息控制马达来完成各种动作。

第三章 创意赛竞赛规则

第五条 创意赛参赛队提交作品报告

参赛队注册时，必须提交电子报告，图文并茂地概括机器人的各项功能，以及机器人的独特之处是如何紧跟主题的。报告中，必须含有视觉的描述，可以应用图片、图表和（或）不同角度的照片以及一个程序的范例。在评审阶段，需要向评委会提交一份书面报告。

第六条 创意赛参赛队提交作品演示视频

参赛队注册时，必须提交一个视频（时长不超过2分钟）来演示他们的机器人。提交这一视频虽然不能获得额外加分，但是可以让评委们提前熟悉参赛队的机器人及其功能，以便提前准备提问的问题。

第七条　创意赛参赛队展示作品

一、展位

竞赛组委会给每支参赛队提供一个固定的展位，展位大小为 2m×2m×2m（长×宽×高）。参赛队在展位内设三面垂直展示墙，每面墙的面积应尽可能接近 2m×2m 这个尺寸。

参赛队展示的作品和其他所有展示用物品必须安排在指定的展位内。如裁判员无特殊要求，参赛选手在展示作品时应站在展位的外面。

二、展示的作品

1. 竞赛对展示的作品所使用的材料不做限制。

2. 展示的作品必须为动态机器人，而非静态景观。机器人可使用一个或多个控制器，编程软件不限。

3. 根据竞赛规定，有时机器人可预先组装和编程。

三、展示的辅助物

1. 参赛队必须用一张或者几张海报来预先装饰自己的展位。海报的尺寸不得小于 120cm×90cm，内容以介绍机器人为主。

2. 所有参赛队可以通过协商，选择使用大小一致的桌子。桌面的面积应尽可能地接近 120cm×60cm 这个尺寸。

3. 每个展位内设有 4 把椅子。

第八条　创意赛竞赛流程

一、准备阶段

1. 参赛队提交作品报告和作品演示视频。

2. 参赛队准备好一份向评委会提交的书面报告。

3. 根据竞赛规定，参赛队伍需提前完成机器人的组装并测试。

4. 布置展位，包括用海报来装饰展位。

5. 从报名参赛起，就要提前检查并评价能否遵守竞赛规程；直至进入检录区的最终准备时刻，需要回顾并确保遵守有关规定。

二、竞赛阶段

1. 现场组装机器人，并进入展位展示。

2. 竞赛期间，参赛选手不得离开展位，以便随时向评委和观众展示和介绍。

3. 在分配的时间内向评委和观众介绍并演示机器人。

三、评审阶段

1. 参赛队向评委会提交一份书面报告。

2. 每支参赛队大约有 10 分钟的评审时间（与

竞赛阶段同步），其中 5 分钟介绍并演示机器人，2~5 分钟回答评委的提问。

3. 评审按四个不同的年龄组分别进行。

第九条　创意赛评判标准

一、报告（50 分）

1. 是否在竞赛开始前提交了作品报告（Yes 或 No）；

2. 是否在竞赛开始前提交了作品演示视频（Yes 或 No）；

3. 是否在作品展示的过程中向评委会提交了打印的书面报告（Yes 或 No）；

4. 在提交的作品电子报告中，对机器人的视觉描述是否清晰，能否总结出机器人的功能及其独特之处（15 分）；

5. 在提交的作品演示视频中，机器人演示的效果如何（5 分）；

6. 在提交的书面报告中，打印是否清晰，语言是否顺畅，能否概括机器人的开发和设计程序，能否写明团队成员（包括教练员）的贡献（20分）；

7. 是否论证了"机器人为什么会提高人类的生活质量"（10分）。此项论证，可在提交的报告中提供，也可在口头报告里显示。

二、展示（50分）

1. 团队的合作精神和精神面貌如何（10分）；
2. 展位内外的整体面貌如何（10分）；
3. 海报的创意和制作质量如何（10分）；
4. 现场口头介绍和机器人演示的效果如何（20分）。

三、机器人的工艺设计（50分）

1. 是否设计合理；
2. 是否结构稳定。

四、机器人的创意设计 (50分)

1. 有无独特新颖的外观；
2. 有无独特的、复杂的、互动的行为。

第十条　创意赛扣分标准

1. 机器人未使用控制器的，扣100分。

2. 展位内未使用海报的，展示一项的得分最高只能得30分。

3. 未提交某项报告的，则无法获得该项报告的相应分数。

4. 未做好评审的准备，或评审时不在现场的，扣50分。

5. 未遵守展示区以及展位使用的相关规定，经警告之后仍然违规的，扣10~100分，直至取消比赛资格。

第四章　常规赛竞赛规则

第十一条　常规赛器材

1. 除非规则另有说明，参赛者组装机器人必须使用竞赛指定的器材与控制器。如果参赛者使用未被认可的器材或控制器，将被取消比赛资格。

2. 参赛者必须准备并携带竞赛中需要的软件、笔记本电脑和所有设备。

3. 参赛者必须准备充足的零件。如果发生任何意外或设备发生故障，竞赛组织机构将不负责提供维护或更换。

4. 在竞赛检录时，所有机器人除控制器外，组件必须是零件状态，零件不得为两个部件的组合，零件种类不少于50种。

5. 参赛选手不能使用任何形式（书面或电子）

的器材使用说明书、机器人搭建指南或图片。但可以事先编写好程序。

6. 参赛者必须使用竞赛指定器材，也不得对原装电子零件（如马达、传感器等）进行任何修改，违者将被取消比赛资格。

第十二条　常规赛对机器人的规定

1. 在启动之前，机器人的最大尺寸在 250mm×250mm×250mm（长×宽×高）之内。机器人启动后，不限尺寸。

2. 机器人只允许使用一个控制器，马达和传感器数量不限。

3. 在机器人运行（执行任务）的过程中，参赛选手不能通过任何动作或方式来干扰或协助机器人，否则将被取消比赛资格。

4. 参赛机器人须为自主机器人，能独立完成任务。机器人运行时，不得使用无线通讯或遥控/线控系统控制机器人，否则取消该队参赛资格。

5. 参赛机器人若使用带有蓝牙功能的控制器，

必须关闭蓝牙，通过 USB 线下载程序。

第十三条　常规赛评判方法

根据不同赛事的宗旨及其机器人完成任务的具体环节制定相应的评分标准，依据此标准列出的计分表将显示出某参赛者在某轮比赛中获得的各项得分和总得分。

总得分高者，名次在前。若总得分相同，则根据机器人完成任务的时间来裁定（适用于未把时间计入算分体系的比赛项目），用时少者名次在前。

在通过多轮比赛决定排名的竞赛中，根据其中单轮比赛的最高分数来决定名次。如出现最高分相同者，则依据其第二高分乃至第三高分来决定名次。

第十四条　常规赛竞赛流程

一、组装前检查

1."检查时间"之前，各参赛者在指定位置准备比赛。在"检查时间"内，机器人必须放在指定地点，教练员离开竞赛区域。

2. 在宣布"组装时间"开始之前，参赛选手不能接近指定的比赛场地。

3. 在宣布"组装时间"开始之前，工作人员将检查各部件的状态。参赛者必须展示出各部件是处于分离状态的。在"检查时间"内，参赛选手不能接触各部件或计算机。

二、组装

1. 裁判长宣布组装开始。

2. 组装时间为 90 分钟，包括组装、编程和测试。

3. 参赛选手在指定的区域内进行组装，在指定的台面上进行测试。

4. 在规定的"组装时间"之外，参赛者不得对机器人进行维护、修改或调换。例如，在其他时间，不允许参赛者下载程序或更换电池。

三、组装后检查

1. 组装环节结束后，参赛者在进入比赛之前必须把机器人放在指定的"检查区"。

2. 工作人员检查各参赛者的机器人是否符合竞赛规定，不符合规定的机器人不能进入下一竞赛环节。若机器人不符合竞赛规定，该参赛者将有 3 分钟的时间进行必要的调试，并接受再次检查。只有机器人符合竞赛规定，方可进入比赛。

3. 检查结束后，在工作人员的监督下，机器人将被留在"检查区"，除非轮到参赛者进行比赛或者在指定的时间进行维护或测试。

四、预选赛

1. 每参赛者进行三轮比赛，每轮进行一次。每轮比赛的得分数都将被记录下来，并经参赛者签字确认。

2. 每轮比赛结束后，参赛者可以选择使用"维护时间"。第一轮预选赛后的"维护时间"为 45 分钟，第二轮预选赛后的"维护时间"为 30 分钟。在此时间段内，参赛选手将在工作人员的监督下对机器人进行维护、改进和测试。

3. "维护时间"结束后，参赛者必须立刻把机器人放置到"检查区"，接受工作人员的检查和评估。若机器人不符合竞赛规定，该参赛者将有 3 分钟的时间进行必要的调试，并接受再次检查和评估。只有机器人符合竞赛规定，方可进入下一轮比赛。

五、隔离

裁判长要求参赛者将其使用的器材（包括机器人、电脑等）放入指定的"储藏区"，这种情形谓"隔离"。如在当天的比赛结束后，或在预选赛结束后，或在某种特殊的情况下，都会需要"隔离"。

在"隔离时间"内，所有器材均处在严格的安全看管下，任何人未经允许均不得进入"储藏区"。但在这个时间内，可以给电池充电。

六、晋级赛

1. 预选赛各年龄组的前 16 名进入晋级赛。

2. 晋级赛若在多个赛台上进行，则通过抽签决定赛台的分配。

3. 晋级赛开始之前各参赛者有 30 分钟的"维护时间"来对机器人进行调试，以便适应新的赛台环境。之后，机器人被放到"检查区"由工作人员进行评估，不符合竞赛规定的将被取消比赛资格。

4. 各参赛者进行一次比赛，选出前 8 名进入下一轮。

七、四分之一决赛

1. 四分之一决赛通常在两个赛台上进行。

2. 四分之一决赛开始之前，各参赛者有 15 分钟的"维护时间"来对机器人进行调试，以便适应新的赛台环境。之后，机器人被放到"检查区"由工作人员进行评估，不符合竞赛规定的将被取消比赛资格。

3. 各参赛者进行一次比赛，选出前 4 名进入下一轮。

4. 被淘汰者将根据其得分排出第 5 名至第 8 名。

八、半决赛

1. 半决赛在一个赛台上进行。

2. 半决赛开始之前，各参赛者有 15 分钟的"维护时间"来对机器人进行调试，以便适应新的赛台环境。之后，机器人被放到"检查区"由工作人员进行评估，不符合竞赛规定的将被取消比赛资格。

3. 各参赛者进行一次比赛，选出前 2 名进入下一轮。

4. 被淘汰者将根据其得分决定第 3 名和第 4 名。

九、决赛

1. 决赛在一个赛台上进行。

2. 决赛开始之前，参赛者各有 10 分钟的"维护时间"来对机器人进行调试。之后，机器人被放到"检查区"由工作人员进行评估，不符合竞赛规定的将被取消比赛资格。

3. 两参赛者进行一次比赛。

第十五条　禁止的行为

1. 损坏赛场、赛台或其他参赛者的机器人等器材；

2. 使用危险物品，或有影响比赛进行的危险行为；

3. 针对同队队员、他队队员、观众、评委或工作人员的不礼貌言语或行为；

4. 将手机或其他有线、无线的通讯工具带进赛区；

5. 将食物或者饮料带进赛区；

6. 在比赛进行时，使用任何形式的通讯工具或方式与场外人员进行交流（如确有必要，应在工作人员监督下与场外人员接洽，或经裁判员允许通过传递纸条进行交流）；

7. 其他任何裁判员认为影响比赛正常进行的行为。

第五章　竞赛的组织

第十六条　设立竞赛机构

为了保证比赛的顺利进行，应根据比赛的需要建立相应的竞赛组织机构，从事比赛的筹备工作，制定有关的规程和补充规定，处理比赛期间和比赛前后不属于裁判委员会职责范围的一切问题。

竞赛组织委员会根据比赛的规模和条件，指定或要求适量的裁判人员管理比赛，并任命其中一人为裁判长，必要时可增设副裁判长一至数人。裁判委员会应由评判委员会（组）和工作委员会（组）两部分组成。

重大比赛应设立仲裁委员会。

第十七条　制定竞赛规程和补充规定

一、竞赛规程

竞赛规程由主办单位制定。内容应包括竞赛日期、竞赛地点、竞赛项目以及赛制、赛法；应包括报名资格、报名方法、报名日期、报名和参赛费用以及报到日期和方法；应包括所设奖项、奖励方法以及级别的授予方法或升降级方法。

二、补充规定

补充规定由裁判长根据竞赛规程精神拟定，赛前发往各报名参赛单位，并在各队报到后的领队、教练员与裁判长赛前联席会议上再仔细说明，让各队运动员都知道并严格执行。

补充规定的内容不可违背《中国素质体育机器人竞赛规则》。制定补充规定的目的，是根据比赛的目的、规模和特点，对规则中不可能一一阐明的细节，作出详细的说明和规定，以使运动员和裁判员在赛中碰到具体问题时有章可循。

第六章 罚 则

第十八条 处罚方式

一、警告

有违例犯规或干扰比赛的言行，但性质轻微的，由裁判员当场给予口头警告。

二、记违例

明显有违例犯规或干扰比赛言行的，由裁判员笔记违例一次，并当场郑重宣布。

在同轮比赛中，第二次给予警告的，由裁判员笔记违例一次，并当场郑重宣布。

三、停赛

有意犯规、性质极为恶劣的，因谩骂、动粗致使比赛中断的，或第三次被记违例的，由裁判长宣布取消参赛资格，并通报停赛处罚。

第十九条　迟　到

以裁判长宣布检录开始计，迟到超过 2 分钟的，给予该参赛者警告；迟到超过 5 分钟的，算该参赛者弃权。

第二十条　拖延比赛时间

轮到某参赛者上场比赛时，超过 30 秒钟仍不上场，应被认为拖延，给予警告处分，对有意拖延的给予记违例处分；超过 2 分钟仍不上场的，算该参赛者弃权。

上场比赛完毕，确认得分签字后应立即离场，超过 30 秒钟仍不离场，应被认为拖延，给予警告处分，对有意拖延的给予记违例处分。

第七章　申诉与解释权

第二十一条　申诉

一、申诉的提出

1. 运动员及其教练员对裁判员在其比赛中所作出的任何裁决，有提出申诉的权利。

2. 对裁判员的裁决及其相关事宜的申诉，须在该轮比赛结束后 30 分钟内的有效时限提出。

3. 申诉应以书面形式提出，经教练员签字有效。

4. 申诉材料呈报仲裁委员会。未设仲裁委员会的，呈报组织委员会。

二、申诉的处理

1. 凡涉及比赛规则或比赛规定一类的申诉，由裁判长负责听取并裁决。如对裁判长的裁决不服，可向仲裁委员会上诉。

2. 凡非直接涉及比赛规则或比赛规定的所有其他申诉，由组织委员会负责处理。

3. 仲裁委员会可行使仲裁权对裁判长的裁决进行复核，但不得否决裁判长根据本《规则》或竞赛规程、补充规定以及为维持纪律所作的判罚。

4. 对申诉的处理不得违背国家体育总局颁布的《体育竞赛仲裁条例》。

第二十二条 解释权

本《规则》的解释权属国家体育总局社会体育指导中心。

附　录

运动员守则

一、热爱社会主义祖国，热爱体育事业，勇攀高峰，为国争光。

二、讲文明，讲礼貌，讲道德，讲卫生，守秩序，守纪律。

三、钻研业务，刻苦训练，尊重教练。

四、赛出风格，赛出水平，胜不骄，败不馁。

五、尊重裁判，尊重对方，尊重观众。

六、不吸烟，不喝酒，衣着整洁大方。

七、团结友爱，关心集体，反对自由主义。

八、尊重领导，服从组织，遵守规章法令。

裁判员守则

一、热爱社会主义祖国，热爱体育事业。

二、努力钻研业务，精通本项目规则和裁判法，积极参与实践，不断提高业务水平。

三、严格履行裁判员职责，做到严肃、认真、公正、准确。

四、作风正派，不徇私情，坚持原则，勇于同不良倾向作斗争。

五、裁判员应互相学习，互相尊重，互相支持，加强团结，不搞宗派活动。

六、服从领导，遵守纪律。执行任务时，精神饱满，服装整洁，仪表大方。

教练员守则

一、热爱社会主义祖国，忠诚体育事业。

二、从严、从难、从实战出发，认真制定教案，坚持科学训练。

三、做好赛前准备和临场指挥，赛后认真总结。

四、学习政治理论和体育科学技术，刻苦钻研业务，不断创新。

五、严格管理教育，加强政治思想工作，关心运动员的全面发展。

六、发扬民主，爱护运动员，不准打骂和侮辱人格。

七、坚持真理，发扬正气，做运动员的表率。

八、教练员要互相学习，互相支持，团结协作。

九、遵纪守法，维护社会公德，执行各项规章制度。

图书在版编目(CIP)数据

中国素质体育机器人竞赛规则 / 《中国素质体育机器人竞赛
规则》编写组编. –北京：人民体育出版社，2011
ISBN 978-7-5009-4144-6

Ⅰ.①中… Ⅱ.①中… Ⅲ.①机器人–竞赛规则–中国
Ⅳ.①TP242

中国版本图书馆 CIP 数据核字(2011)第 168316 号

*

人民体育出版社出版发行
三河兴达印务有限公司印刷
新 华 书 店 经 销
*
850×1168　32 开本　1.5 印张　20 千字
2011 年 9 月第 1 版　2011 年 9 月第 1 次印刷
印数：1— 8,000 册
*
ISBN 978-7-5009-4144-6
定价：10.00 元

社址：北京市东城区体育馆路 8 号（天坛公园东门）
电话：67151482（发行部）　　　邮编：100061
传真：67151483　　　　　　　　邮购：67118491
网址：www.sportspublish.com
（购买本社图书，如遇有缺损页可与发行部联系）